Supersentidos

Anita Ganeri

EVEREST

Título original: *Super senses*
Traducción: Alberto Jiménez Rioja

First published by Evans Brothers Limited,
2A Portman Mansions, Chiltern Street,
London W1U 6NR, United Kingdom.

Carretera León-La Coruña, km 5 - LEÓN
ISBN: 84-241-1615-1
Depósito legal: LE. 1309-2004
Printed in Spain - Impreso en España

EDITORIAL EVERGRÁFICAS, S. L.
Carretera León-La Coruña, km 5
LEÓN (España)
Atención al cliente: 902 123 400
www.everest.es

Agradecimientos
El autor y el editor desean expresar su gratitud a las personas e instituciones siguientes por su amable permiso para reproducir fotografías:

Science Photo Library, p 10 (Omikron), p 14 (Quest), p 18 (Omikron), p 21 (Quest), p 22 (Chris Bjornberg); Bruce Coleman Collection, p 12, p 14.

Fotografías encargadas a Steve Shott.
Modelos de Truly Scrumptions Ltd.
Y gracias también a: Lily Dang, Thomas Keen, Billy Hart, Nicola Mooi, Charlie Summerford, Kelsey Sharman, Sophie Raven, Gurlaine Kaur-Sidhu, Kyle Bradley-Murfet, Elmaz Ekram, Diandra Beckles

Contenidos

Aclarándonos

¿Cómo te enteras de lo que pasa en el mundo que te rodea? ¿Cómo sabes que el cielo es azul, que las flores huelen bien o que el helado sabe muy rico? ¡Usando tus cinco **sentidos**, así! Ellos te dicen lo que sucede a tu alrededor.

¡MÍRAME!

Tus sentidos del gusto y del tacto trabajan juntos: si tu nariz está congestionada debido a un catarro, tu helado sabrá como un insípido cartón.

Tus cinco sentidos son el tacto, el olfato, el oído, el gusto y la vista.

1 Tu piel te permite sentir cosas. Te dice si son ásperas o suaves, si están frías o calientes o si resultan dolorosas.

2 Hueles cosas con la nariz. ¡De este modo puedes oler los deliciosos platos que vas a tomar a la hora de la cena!

¡ASOMBROSO!

Ciertas personas piensan que tienen un sexto sentido. Afirman que pueden decir lo que va a ocurrir antes de que realmente ocurra. ¡Qué miedo!

3 Con tus oídos oyes cosas: captan todo tipo de sonido.

4 Con la lengua saboreas. Está recubierta de diminutos abultamientos, llamados papilas gustativas.

5 Con tus ojos ves cosas: puedes ver en color y en blanco y negro.

Mensajes del exterior

Cada uno de tus sentidos está conectado a tu cerebro, que es la parte más importante de tu cuerpo. El cerebro interpreta lo que sucede a tu alrededor. Cuando lees este libro, tus ojos mandan mensajes sobre las palabras y las ilustraciones a tu cerebro, mensajes que viajan a través de una red de **nervios**. Tu cerebro los ordena y te dice lo que estás viendo. Te indica también que tienes que utilizar los dedos para pasar la página cuando has terminado de leerla.

¡MÍRAME!

Tu activo cerebro está en la mitad superior de tu cabeza. Lo protege el cráneo. ¡Si te das golpecitos en la cabeza sentirás el duro cráneo de hueso!

Tienes aproximadamente 100 millones de nervios en tu cuerpo: algunos llevan mensajes de tus cinco sentidos al cerebro, otros llevan mensajes del cerebro a tus músculos para decirles qué han de hacer. Otros llevan mensajes de un nervio a otro. Esta extensa y enorme red nerviosa te ayuda a percibir lo que sucede en tu entorno. Tu cerebro y tus nervios componen tu sistema nervioso.

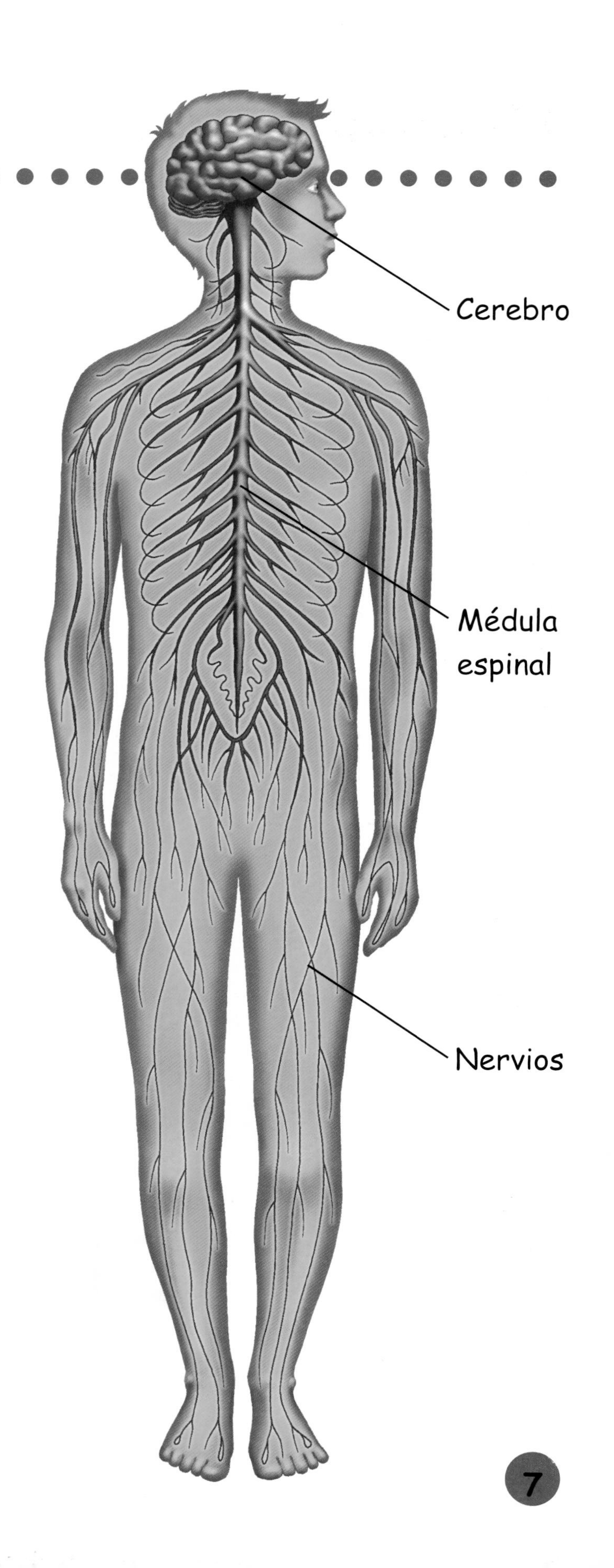

¡Asombroso!

Millones y millones de mensajes atraviesan tu cuerpo a toda velocidad cada minuto.

Espía ocular

Mírate a los ojos en un espejo. ¿Puedes ver dos diminutos puntos negros en el centro? Son las **pupilas**. Las pupilas son en realidad agujeros que permiten que la luz entre en tus ojos; tus ojos necesitan luz para ver. Por esta razón no se ve bien en la oscuridad.

¡MÍRAME! ¡MÍRAME! ¡MÍRAME! ¡MÍRAME!

Prueba una zanahoria: va a mejoran tu visión en la oscuridad porque tienen **vitamina** A, una sustancia que ayuda a las **células** de tus ojos a captar la luz.

La luz se refleja en todo lo que miras y penetra en tus ojos. Entonces, los nervios especiales que están en la parte de atrás de tus globos oculares envían mensajes a tu cerebro, y tu cerebro te dice qué estás mirando. Pero la imagen que tus nervios mandan está del revés: tu cerebro se encarga de ponerla derecha.

¡ASOMBROSO!

Tus pestañas son muy útiles: impiden que el polvo irritante y las partículas en suspensión entren en tus ojos.

Estas son las distintas cosas que hacen las diferentes partes de tus ojos:

Tu globo ocular está hecho de una sustancia gelatinosa, gracias a la cual mantiene la forma correcta.

La parte trasera de tu ojo se llama retina: aquí es donde se forma la imagen.

El nervio de la parte trasera de tu ojo lleva mensajes al cerebro.

Tus ojos tienen **lentes** diminutas que enfocan la luz, para que la imagen que ves sea clara.

El orificio negro en el centro de tu ojo se llama pupila.

La capa blanca de la parte delantera de tus ojos protege las partes que quedan detrás de ella.

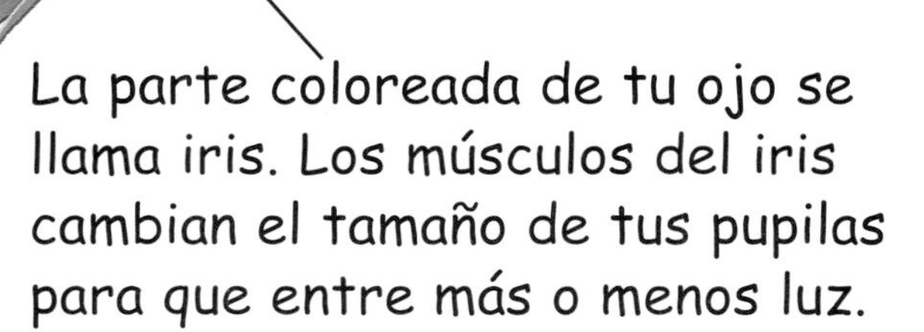

La parte coloreada de tu ojo se llama iris. Los músculos del iris cambian el tamaño de tus pupilas para que entre más o menos luz.

Más sobre tus ojos

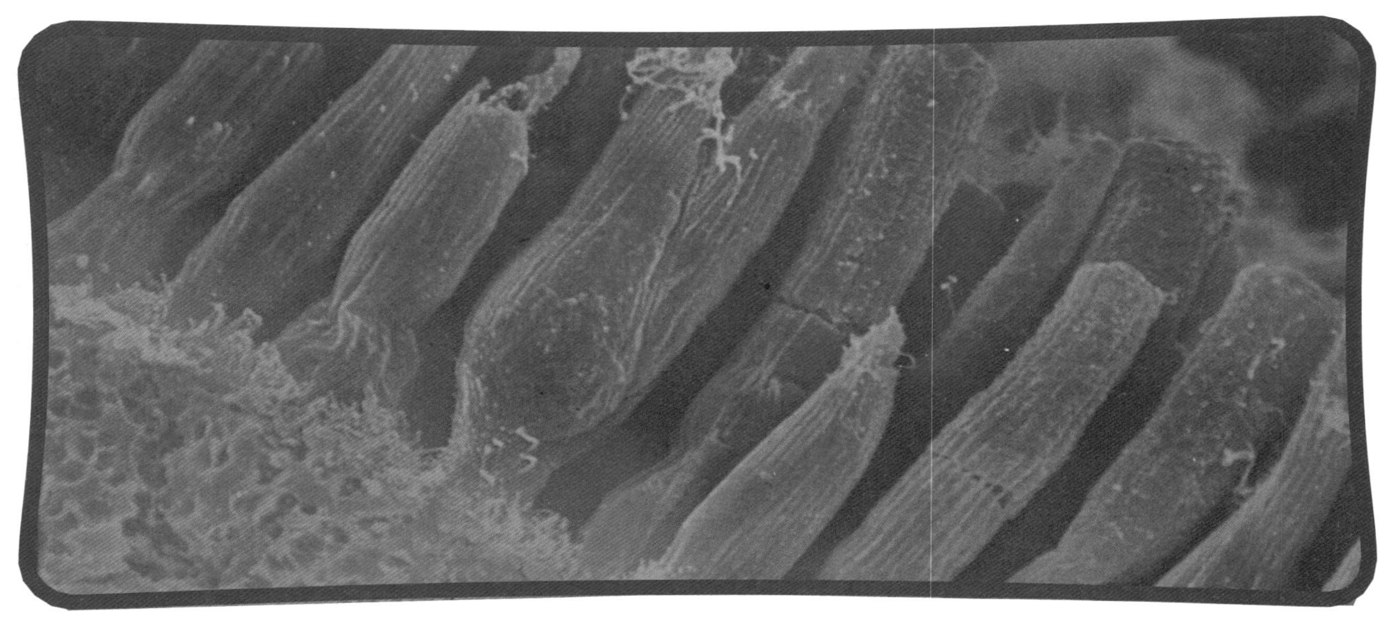

Las células de la retina, los conos y bastones, vistas con un microscopio.

En la parte de atrás de tus ojos hay diminutas células nerviosas que captan la luz que llega hasta ellas. Se llaman conos y bastones. Los bastones te ayudan a ver en blanco y negro y en condiciones de poca luz; los conos te ayudan a ver en color y funcionan sobre todo con mucha luz. Esta es la razón por lo que cuesta ver los colores por la noche.

Ciertas personas sufren **ceguera al color**. No pueden ver determinados colores correctamente porque sus conos no funcionan bien. Les cuesta, por ejemplo, distinguir el rojo del verde.

¡Asombroso!

Los ojos pueden ser de distintos colores: azules, marrones, castaños o verdes. El color de tus ojos se hereda de tus padres. ¿De qué color tienes los ojos?

¿Llevas gafas para ver mejor? Ciertas personas las necesitan para ayudarse a ver de cerca o de lejos. De otro modo las imágenes que ven son borrosas. Las gafas son lentes extras que ayudan a las lentes que tienes dentro los ojos a concentrar la luz que penetra en ellos.

¡MÍRAME! ¡MÍRAME! ¡MÍRAME! ¡MÍRAME!

Tener dos ojos te da una mejor imagen de lo que te rodea. Prueba a cerrar un ojo y luego el otro. ¿Notas la deferencia?

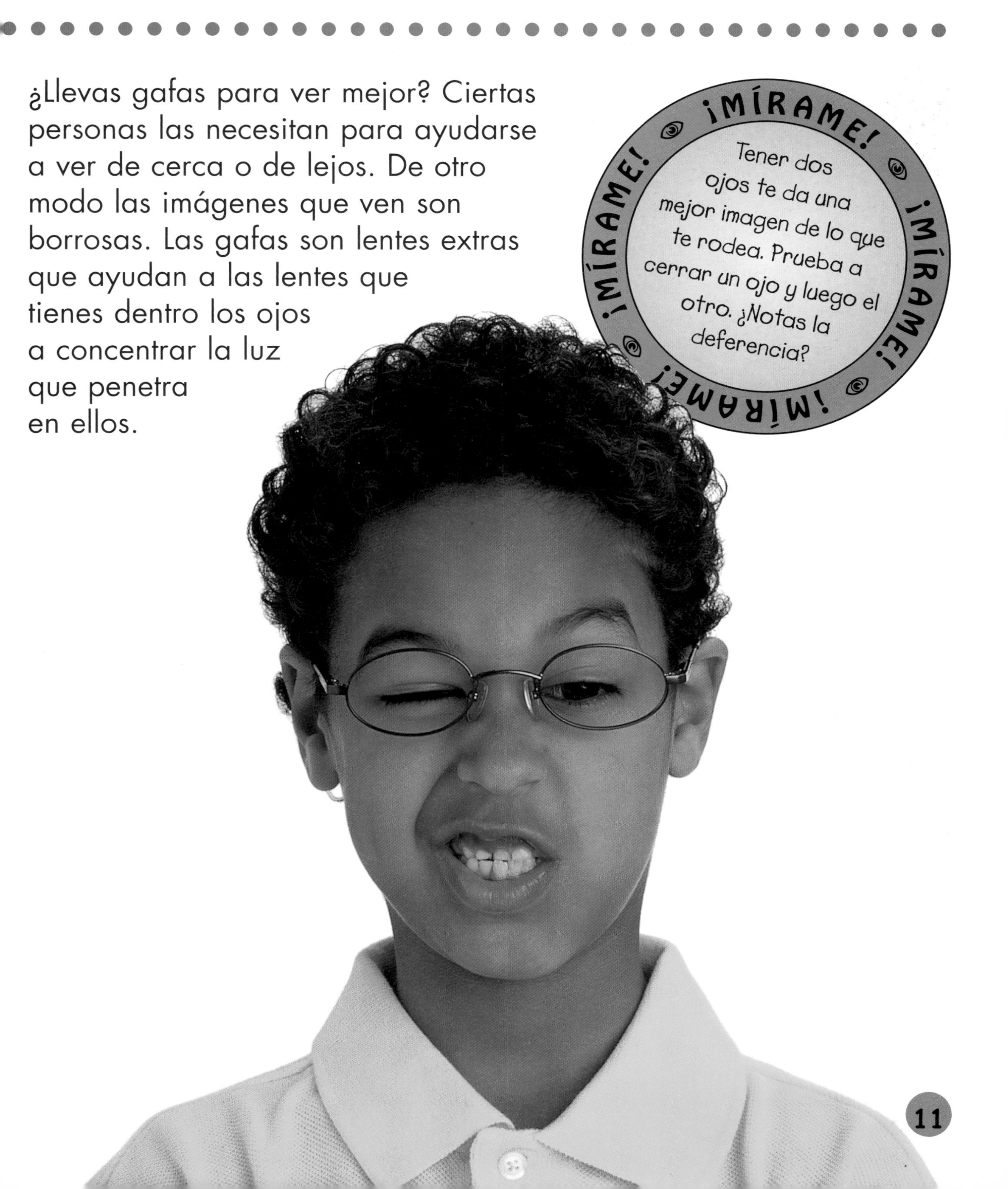

Oye, oye

Puede parecerte que tus orejas tienen una forma rara, pero esto las hace muy útiles. Tienen forma de embudo para captar mejor los sonidos que viajan por el aire. Los sonidos hacen vibrar al aire: estas vibraciones penetran en tus oídos y dentro de tu cabeza, hasta llegar a las partes internas de tu oído que no se ven.

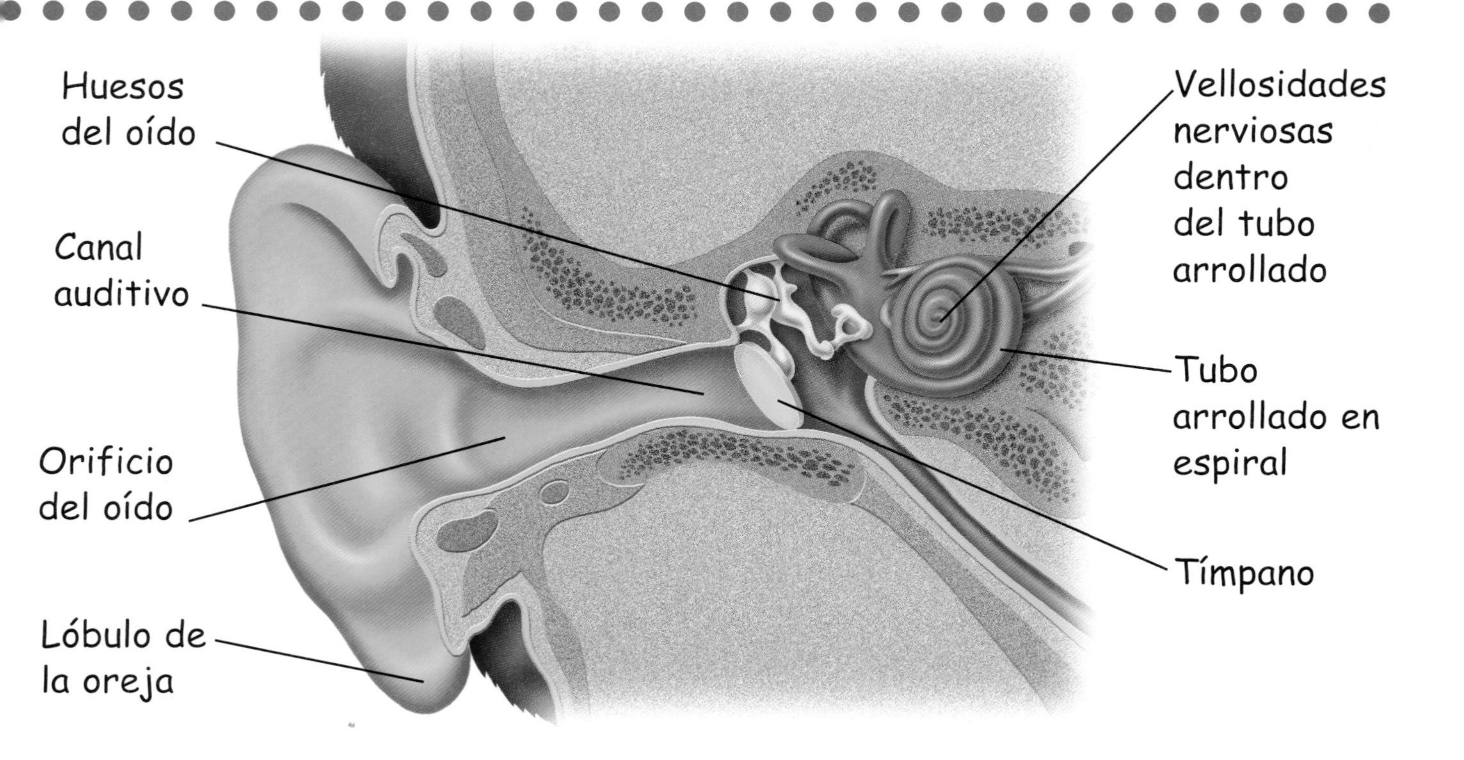

El sonido recorre dentro de tu oído un conducto llamado conducto auditivo. En el extremo interno choca contra un pedacito de piel delgada y tensa llamado tímpano. El sonido hace vibrar esta membrana y, entonces tres diminutos huesos que están detrás vibran también. Estos huesos mandan la vibración a zonas aún más profundas del oído, llegando hasta un tubito enroscado sobre sí mismo y lleno de líquido que baña unas terminaciones nerviosas en forma de pelos. El líquido se desplaza y empuja los nervios, que envían así mensajes al cerebro. El cerebro te dice, por último, lo que estás oyendo.

¡Asombroso!

Los diminutos huesos del interior de tus oídos son los huesos más pequeños del cuerpo. Tienen, más o menos, el tamaño de granos de arroz.

Más sobre tus oídos

¿Por qué crees que tienes dos oídos? Es porque te ayuda a saber de dónde vienen los sonidos. Los sonidos llegan a uno de tus oídos justo antes de alcanzar el otro, con lo cual las vibraciones en el primer oído son más fuertes que las vibraciones del segundo.

Tus asombrosos oídos pueden oír sonidos tan altos como los motores de un avión o tan bajos como el susurro de una persona. Pero si oyes sonidos muy fuertes durante demasiado tiempo pueden deteriorarse. Tus oídos oyen también sonidos agudos y graves; los agudos hacen que el aire vibre muy rápido, mientras que los graves lo hacen vibrar despacio.

¡Asombroso!

Ciertos animales, como los murciélagos y los perros, tienen un oído asombroso. Captan sonidos tan agudos que tú ni siquiera los percibes.

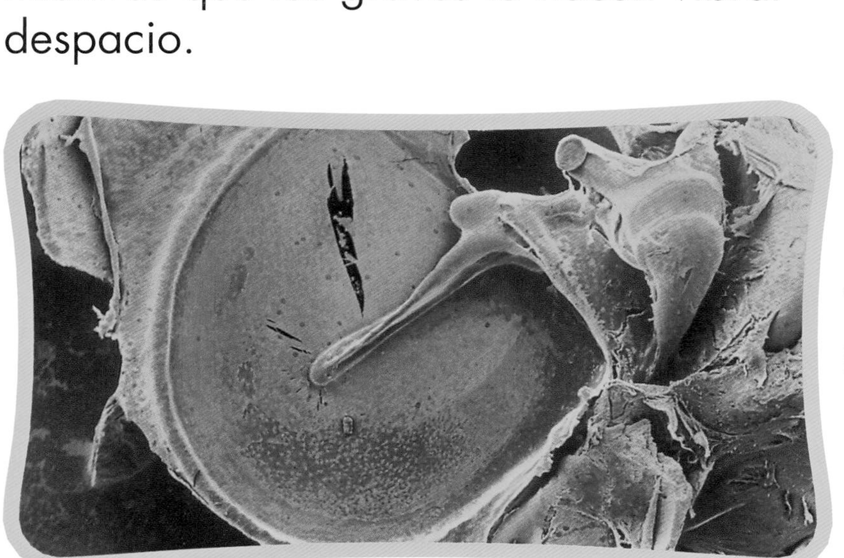

Tu tímpano visto bajo el microscopio.

¿Puedes dar vueltas sobre ti misma muy deprisa sin marearte y sin caerte al suelo? Tus oídos te ayudan a mantener el equilibrio. En cada uno tienes unos tubos enroscados sobre sí mismos llenos de un líquido acuoso: cuando mueves la cabeza, el líquido se desplaza. Hay unos nervios especiales que captan este movimiento y mandan mensajes a tu cerebro; éste se encarga de ajustar la posición de tu cuerpo para evitar que te caigas.

¡Qué pestazo!

Hay cosas que huelen muy bien, como un ramo de flores o un pastel recién horneado. Otras huelen fatal, como los calcetines usados o la leche estropeada. Los olores están hechos de diminutas partículas que flotan en el aire. Tu nariz capta estos olores.

¡MÍRAME!

¿Arrugas la nariz o te la tapas cuando hueles algo horrible? Eso impide que el aire y los olores entren en ella.

Cuando inspiras, los olores del aire entran en tu nariz. Los olores son demasiado pequeños para verlos, pero hay unos nervios especiales en forma de pelos dentro de tu nariz que se empapan de los olores y envían mensajes sobre ellos a tu cerebro. Después, tu cerebro te dice de qué olor se trata.

¡ASOMBROSO!

Puedes oler más de 3.000 olores distintos, pero un perro llega aproximadamente a los 3.000 millones.

Cuando olfateas algo puedes olerlo mejor. Por lo general, cuando respiras, sólo tomas una pequeña cantidad de aire, pero si inspiras profundamente la cantidad de aire que entra es muy superior y los olores van directamente a los nervios de tu nariz.

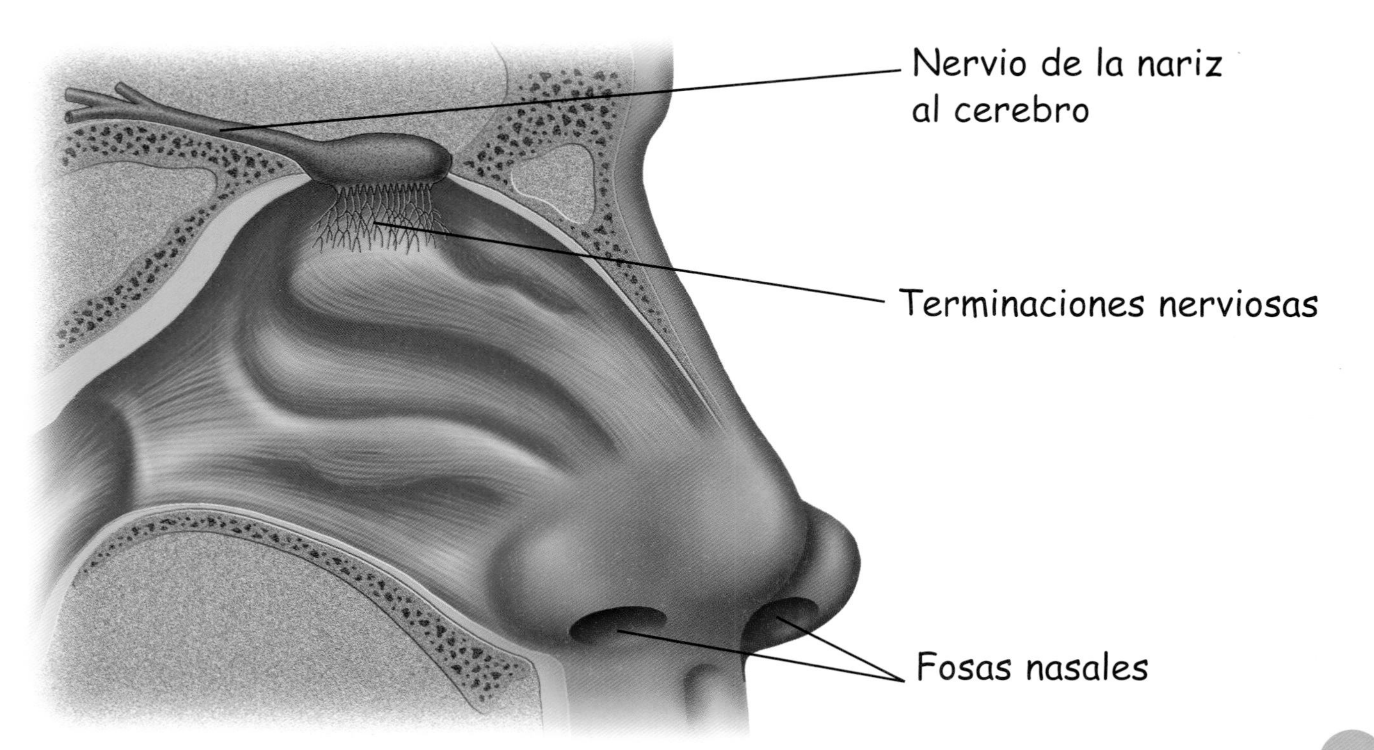

Sabe bueno

¿Cuál es tu sabor favorito? ¿Te gustan las cosas dulces, como el sabroso helado, o las cosas saladas, como las patatas fritas? Saboreas las cosas con tu lengua, que está cubierta por unos diminutos abultamientos llamados papilas gustativas. Envían mensajes a través de determinados nervios a tu cerebro para que sepas a qué sabe lo que comes. La lengua te dice también si la comida está fría o caliente.

¡MÍRAME! ¡MÍRAME! ¡MÍRAME! ¡MÍRAME!

Mírate en un espejo y saca la lengua. ¿Ves los diminutos abultamientos de su superficie? Son tus papilas gustativas.

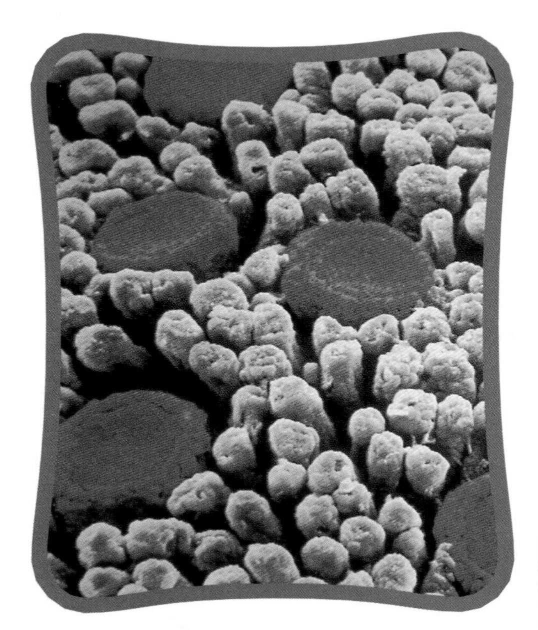

Tus papilas gustativas vistas bajo un microscopio.

Tu lengua es una masa de músculo inclinado. Además de captar los sabores te ayuda a hablar y a cantar, y te ayuda también a comer, moviendo los alimentos en la boca y permitiéndote masticarlos bien. Después lleva lo que comes a la parte de atrás de tu boca para que puedas tragarlo.

¡ASOMBROSO!

Tienes más de 10.000 papilas gustativas en la lengua.

Tocar, sentir

Tocas y sientes cosas con la piel. Tu piel entra en contacto con las cosas que te rodean y te dicen si están frías o calientes, si son blandas o duras, suaves, ásperas o dolorosas.

Tu piel cubre todo tu cuerpo. Se adapta perfectamente a él y se estira y se dobla cuando te mueves. Mantiene los órganos internos en su sitio. Hay empaquetados debajo de tu piel millones de nervios diminutos que envían mensajes al cerebro para que sepas lo que estás tocando o sintiendo.

La superficie de tu piel vista bajo un microscopio.

¡Asombroso!

Si te pinchas un dedo te duele, pero el dolor es útil. El dolor te ayuda a saber que algo va mal, y de este modo puedes eliminar su causa.

Los nervios de tu piel envían mensajes a tu cerebro cada segundo, pero tu piel no tiene la misma **sensibilidad** en todas partes. Ciertos lugares de la piel tienen muchos nervios y son más sensibles. En otros hay menos. Tus zonas más sensibles están en las yemas de los dedos, en los labios y en los dedos de los pies. Tu piel menos sensible está en tu espalda y en tus piernas.

Más sobre tu piel

Aparte de sentir y tocar, tu piel desempeña otras funciones muy importantes: protege tu cuerpo de daños, te ayuda a mantenerte caliente en los días fríos y fresco en los días calientes. Se cura rápidamente si te cortas o te arañas. Está cubierta de una fina capa de grasa, que la vuelve suave y a prueba de agua. ¡Esto es lo que hace que no te empapes cuando vas a nadar!

¡MÍRAME! ¡MÍRAME! ¡MÍRAME! ¡MÍRAME!

Mírate la yema de un dedo a través de una lupa. ¿Ves el dibujo de la piel? Es tu huella actilar.

Nadie tiene las mismas huellas dactilares que tú.

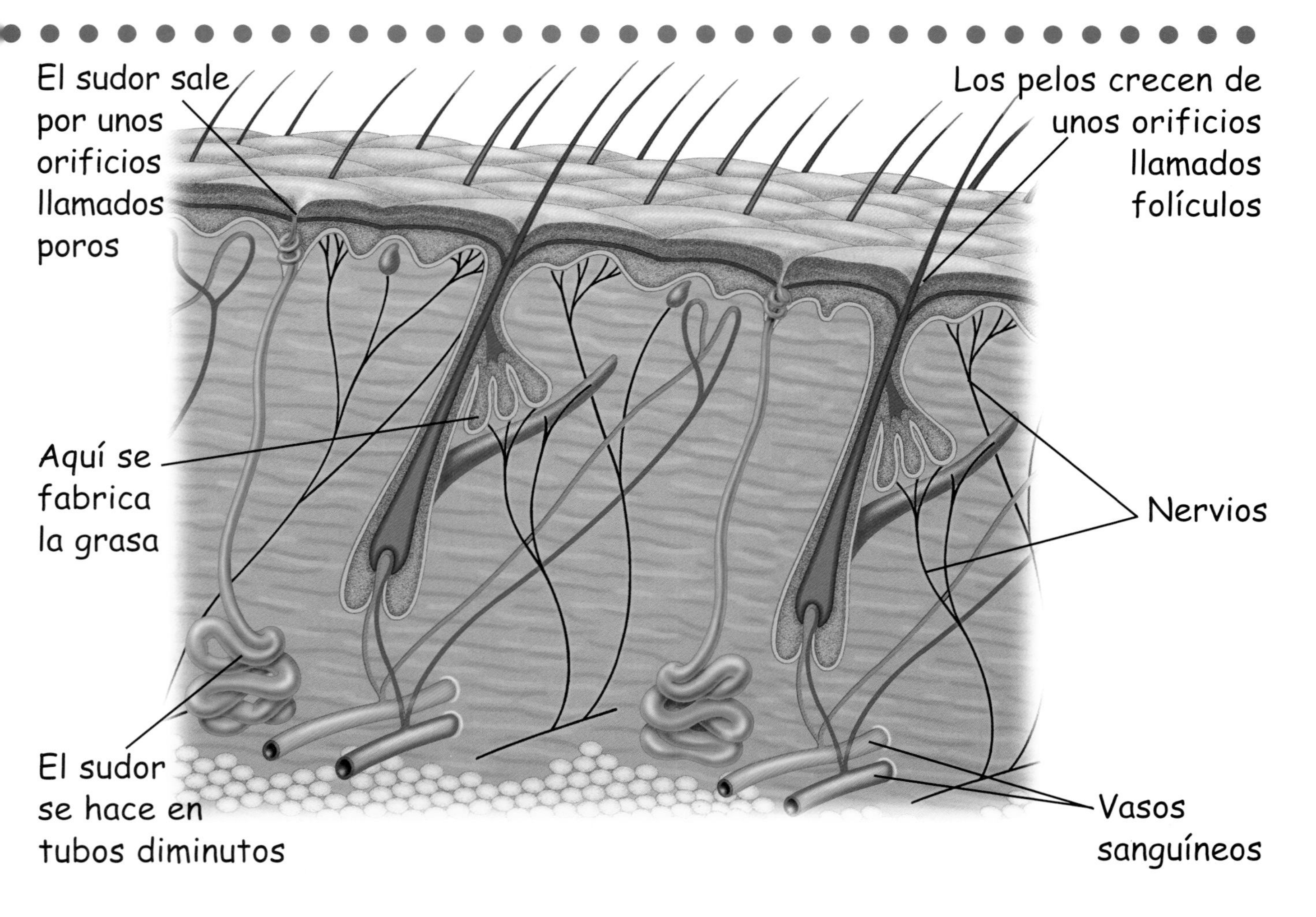

En muchos lugares, tu sufrida piel es gruesa, pero son siempre muchas las cosas que ocurren dentro de ella. Hay pelos que crecen desde orificios diminutos y en otros lugares se hace el salado **sudor**. Hay unos tubos diminutos, llamados **vasos sanguíneos**, que suministran la sangre. La sangre le lleva a tu piel **oxígeno** del aire que respiras y productos que necesita sacados de los alimentos que comes.

GLOSARIO

Glosario

Ceguera al color
Quien la sufre es incapaz de ver adecuadamente determinados colores, como el rojo o el verde.

Células
Los diminutos bloques constructivos que constituyen cada parte de tu cuerpo.

Lentes
Discos transparentes dentro de tus ojos que concentran la luz para que puedas ver imágenes claras.

Médula espinal
El conjunto de nervios que corre por tu espalda, dentro de tu espina dorsal o columna vertebral.

Nervios
Células especiales que llevan mensajes entre tu cuerpo y tu cerebro. Parecen cables largos.

Oxígeno
Gas del aire que necesitas respirar para mantenerte vivo.

Papilas gustativas
Diminutos abultamientos de tu lengua que captan los diferentes sabores de lo que comes.

Pupilas
Los puntos negros del centro de tus ojos. En realidad son pequeños agujeros que permiten el paso de la luz.

Sensible
Capaz de sentir o tocar cosas.

Sentidos
El modo en el que tu cuerpo te dice lo que sucede a tu alrededor. Tus cinco sentidos son la vista, el oído, el tacto, el olfato y el gusto.

Sudor
Líquido fabricado en tu piel que te ayuda a mantenerte fresco en los días calurosos.

Vasos sanguíneos
Los finos conductos (tubos) que llevan la sangre por todo tu cuerpo.

Vitaminas
Importantes sustancias contenidas en los alimentos que tu cuerpo necesita para mantenerse fuerte y sano.

Índice analítico

Índice analítico

O

P

R

S

T

V

Y